dog

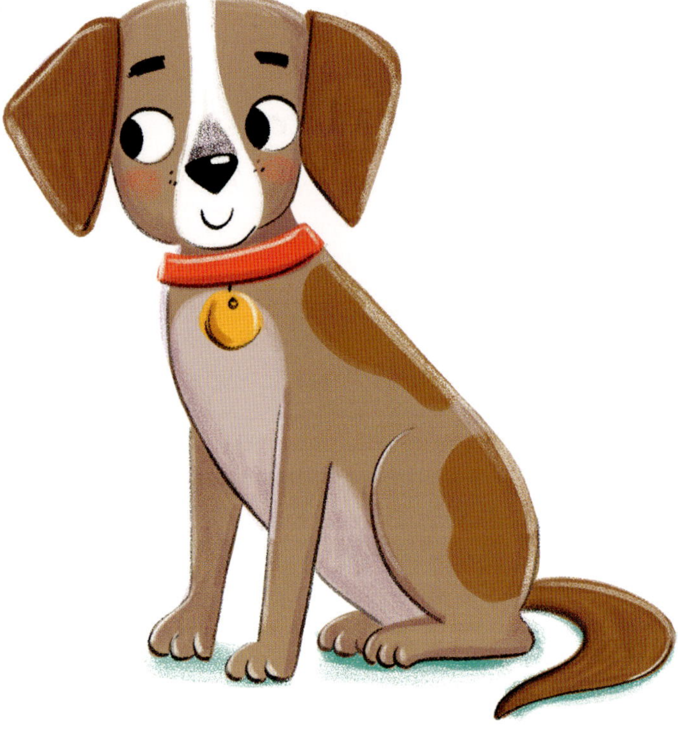

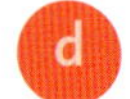
d
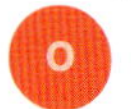
o
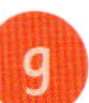
g

bat

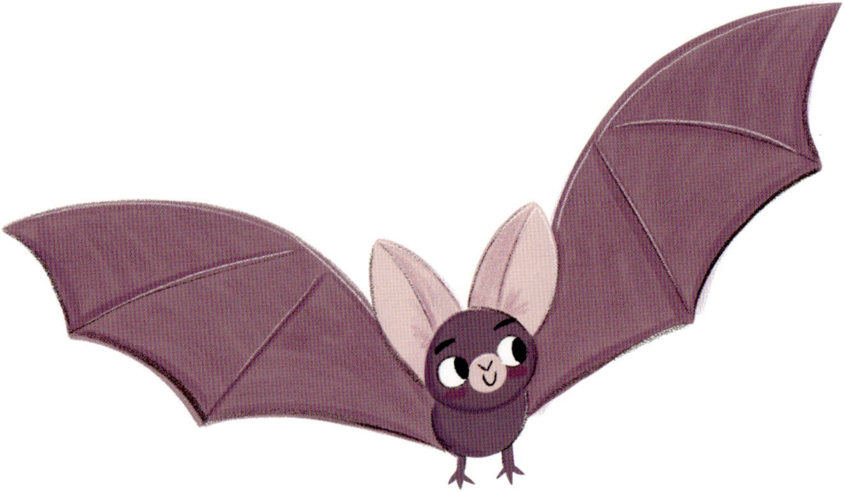

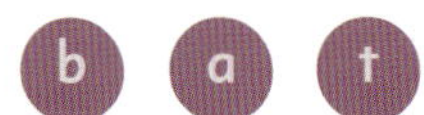
b a t

cup

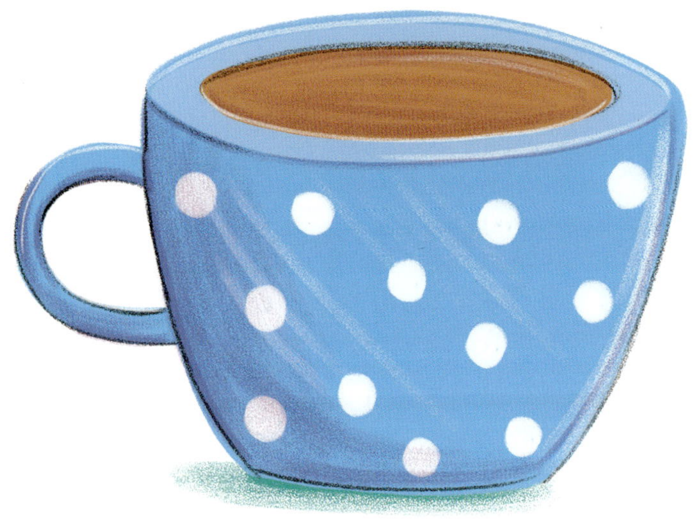

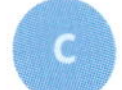
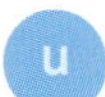
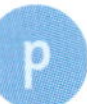
c
u
p

leg

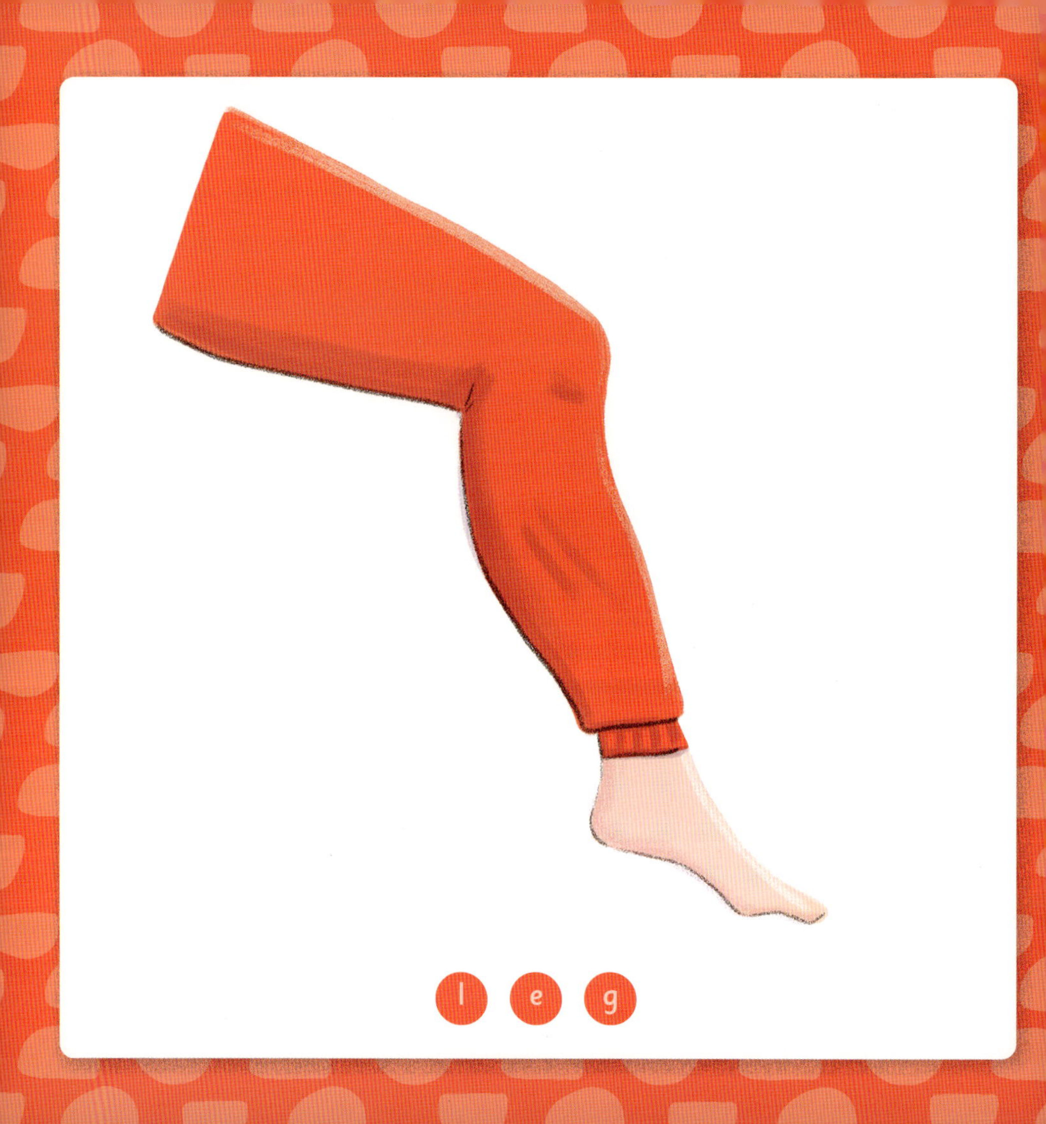
l e g

nuts

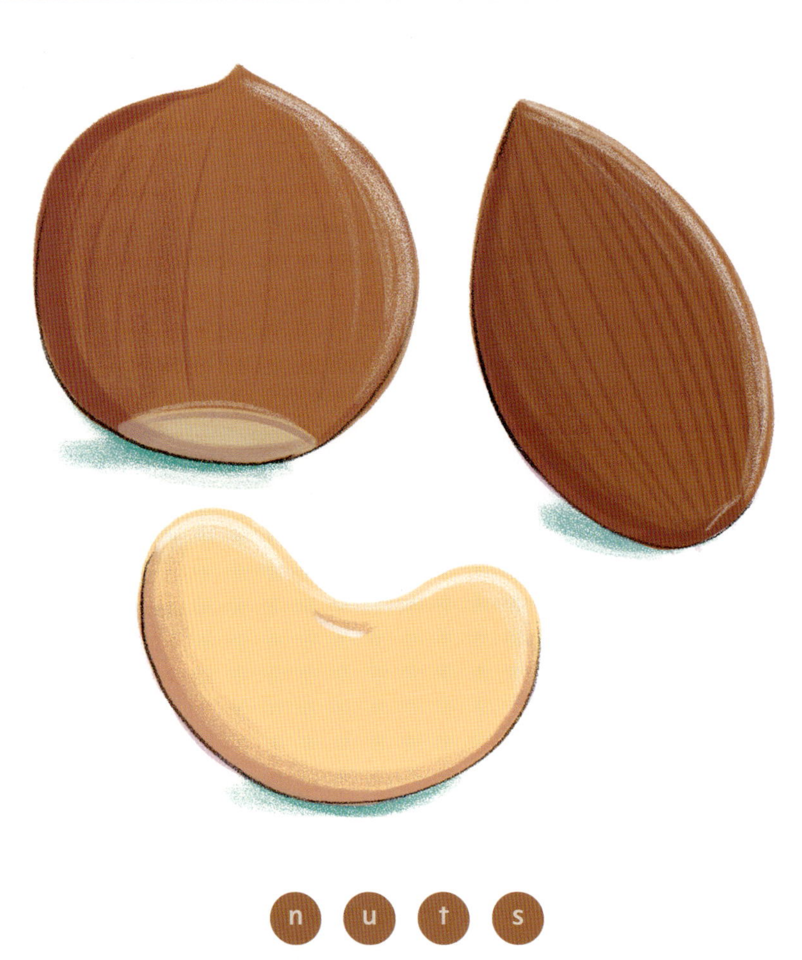
n u t s

flag

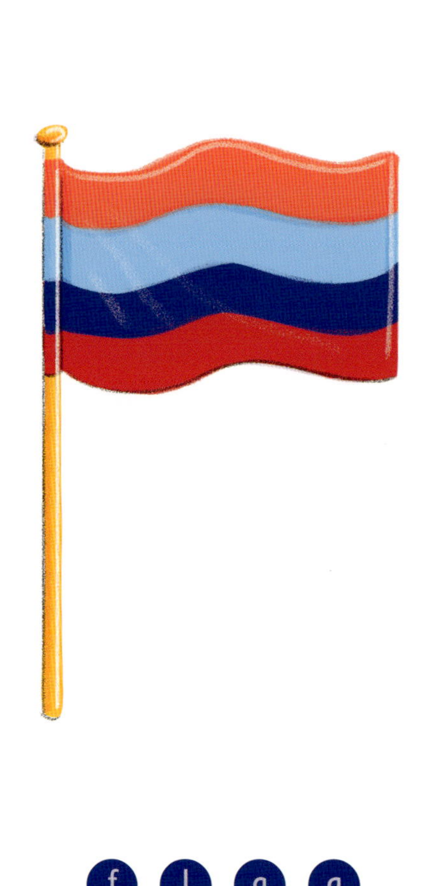

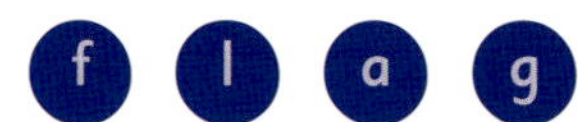
f l a g

milk

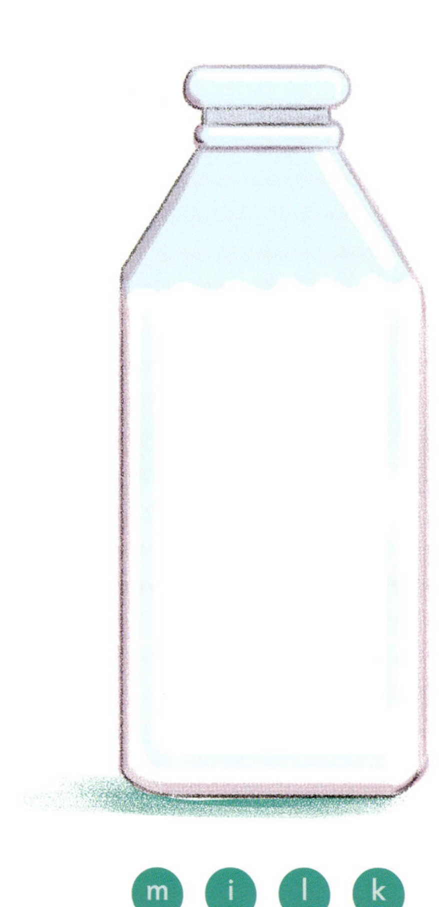

m i l k

pond

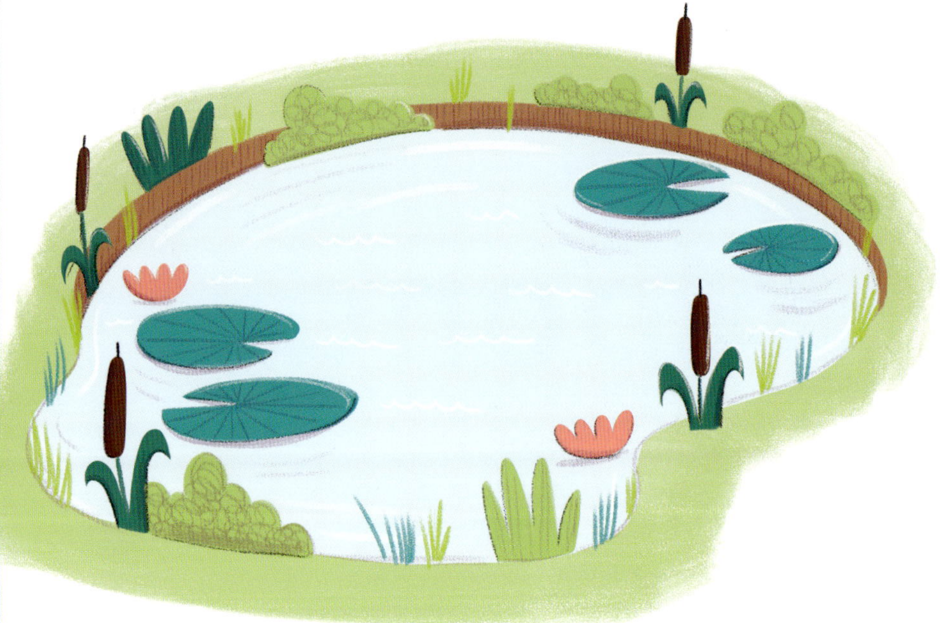

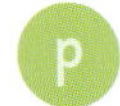
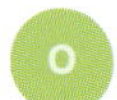

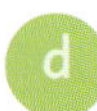

p o n d